KB178180

작가의 말

안녕하세요.
강다나입니다.

사실 저는 그렇게 별로 특별한 아이는
아니었어요.
그다지 평범한 아이였습니다. 그런데 어느 날
잘살고 있는데, 자꾸만 늘어가는 학업과 스트레스
100점이라는 압박이 저를 자꾸만 헤집어놓기
시작했습니다. 그리곤 돌이킬 수도 없이
우울해져만 갔고 이젠 우울증 약 없이는 못 살
정도가 되었습니다.
그런 제가 발견한 해결 방법이라고는 학교를
나가지 않고 집에서 늘 우는 거밖에 하질
않았는데 그런 저를 달래주는 방법은 글을 쓰는
거였습니다.
처음은 흥미로 시작한 글이 점점 저를 회복하는데
좋은 수단이 된 겁니다. 그래서 저는 늘 우울할
때마다 글을 썼어요.

그리고 든 생각은 저 같은 분들도 있겠다 싶어

책을 내기로 했습니다. 저같이 우울하신 분들
삶의 흥미를 잃으신 분들이 제 책을 읽고 기운을
내시면 좋을 거 같아서 그래서 책을 내기로
마음을 먹곤 제가 늘 생각하는 거와 제가 받고
싶은 위로를 글로 적어내기 시작했고 마침내 글을
완성하여 이렇게 책을 냈습니다.

마냥 작은 위로의 손길이지만 그래도 작은
따스함이라도 전달해보고 싶었습니다.

재밌게 읽어주세요.

1 Chapter

2 Chapter

3 Chapter

4 Chapter

5 Chapter

1 Chapter
삶에 지친 당신에게

내가 바보였다

세월이 약이라는 말만 믿고 몇 번을 추락하든 버텨왔는데 어째 날이 가면 갈수록 피폐해졌다.

세월이 약이라는 말은 결코 틀린 말이었다.

세상에 진짜 믿을 거 하나 없는 것 같다.
그동안 그 말만 믿고 견디는 내 모습을 본 사람들은 얼마나 뒤에서 웃어 댔을까.

다들 내가 바보라고 생각하겠지

그래 내가 바보였다.

그 한마디만 믿고 인생을 바친
내가 바보였다.

즐겨라

아무리 죽어라.
노력해도
즐기는 자를 이길 순 없다.

그렇다
즐기는 거다.

못해도 즐기면 그만이다.

원하는 일이 있다면
내가 이걸 할 수 있을지 생각 말고
내가 그 일을 하며 즐길 수 있으면 하는 거다.

즐기면서 그 일을 해내면 되는 거다.
못해도 즐기면서 하나하나 배우면 된다.

그냥 즐겨라.

너의 길

어린 나이에 너무 많은 일을 겪은 것 같다.

그럴 때마다 해주고 싶은 말은
너무 무리하지 말아줬으면 한다.

나도 곧 지나가겠지? 하고 그냥 신경을 안 썼는데
시간이 지나니까 진짜 우울하고 답답해 미치겠더
라

학교도 가기 싫고 공부도 하기 싫고 친구들이랑
어울리기도 지겨운데 또 막상 너무 외로워

어린 나이에 그 많은 경험을 하니 얼마나 힘들고
괴롭겠어.

넌 누구보다 소중하고 존중받을 아이야
한번 사는 인생
해보고 싶은 거 다 해봐야지 않겠냐

오로지 너의 길을 걸어갔으면 좋겠다.

포기

넘어져도 괜찮고
실수해도 괜찮고
실패해도 괜찮고
망해도 괜찮다.

다만 포기만 하지 말아라
포기만 하지 않으면

넘어지든 상처가 나든 다 괜찮다.

딱 하나
포기만 안 하면 된다.

버티고 있습니다

일어나기도 귀찮지만 버텨야 합니다.
살기도 싫지만 버텨야 합니다.
정말로 죽고 싶지만 버텨야 합니다.

살아가야 하는데
버티고 있습니다.

버텨야 합니다.
그리고 또 버텨야 합니다.

저는 그렇게 오늘도 버티고 있습니다.

오늘도 그렇게 버텨가고 있습니다.

위로해주는 사람

위로해주는 사람도 가끔은 위로를 받고 싶습니다.

위로를 잘 해주며
위로만 해주면 눈물을 나게 만드는 사람이 있습니다.

그 사람이 위로를 잘해주는 이유는 뭐 다양하죠.

예전부터 말을 잘 했다거나
착하다거나
근데 그들이 위로를 잘하는 가장 큰 이유는

듣고 싶던 말이 많아서입니다.

당신이 그 위로해주는 사람이라면 당신이 듣고 싶고 싶던 말 이젠 내가 해줄게요.

삶에 지친 너에게

늘 밤마다 소리 없이 우는 거 많이 서럽지

밖에선 밝고 즐거운 척은 하는데
그게 점점 일상이 되니깐 점차 지겨워지는 거잖아

늘 같이 웃고 혼자 우는 일상 나도 느껴봐서 잘 알아

너는 모르겠지만 나는 네가 참 대단하다고 느껴
그렇게 슬프고 공허한데
사람들 앞에선 밝게 웃는 게 참 멋지다고 생각한다?
근데 가끔은 너무 지쳐 보여

과연 내가 이런 말을 해서 너의 상처가 다 낫지는 않겠지. 내가 생각하는 것보다 더 많은 짐을 갖고 있잖아

근데 조금이라도 너의 짐을 들어주고 싶어

더 잘하려고

더 잘하려고 노력하지 마

지금도 충분히 잘하고 있어.

그니깐 걱정하지 마.

마음의 감기

누군가 그랬습니다.

우울은 마음의 감기라고 그러니 다 지나갈 거라고

많은 사람들은 그 말에 동감했겠지만
저는 그 말에 고개를 끄덕일 수 없었습니다.
저는 그 말이 틀렸다고 생각하거든요

우울은 감기가 아닙니다.
우울이 잘못된 것도 아니고요.

감기처럼 뭐 약만 먹으면 괜찮겠지. 가 아닙니다

우울은 내 마음속 어딘가가 허무해 무언가가 채워져야 합니다.

지금 당신의 마음속은 공허한가요?

당신에게

당신에게 묻습니다.

오늘 하루 괜찮았나요?

밥은 잘 챙겨 먹었고요?

힘든데 혼자 삼키면서 마음고생을 하진 않았나요?

아무도 없는 곳에서 울진 않았고요?

남이 뭐라 해서 상처를 입진 않았나요?

죽고 싶단 생각은 안 들었고요?

마지막으로 당신에게 묻습니다.

당신이 소중하단 걸 아시나요?

다 잘 될 거야

가끔은 힘들어하는 널 꼭 안아주며

말해주고 싶어

괜찮아 다 잘 될 거야,
충분히 애썼고 충분히 잘했어.

네가 참 자랑스럽다.

괜찮아

난 괜찮아

난 괜찮아

난 괜찮아질 거야

나는 괜찮다고

아니

안 괜찮아

전혀 괜찮지 않아

희극

나는 바보처럼

여러 번 비극을 보고 나서도

어리석게 희극을 바랐고

어리석음은 곧 공허함으로 바뀌어

완벽한 희극도 완벽한 비극도 아닌

완전히 뒤틀려버린 엔딩을 맞이했다.

그거 하지 마

너 지금 많이 힘들잖아
많이 지치고 말할 힘도 없고 울고 싶지도 않잖아

근데 왜 괜찮은 척을 하는 거야

너 지금 많이 괴롭고 고통스럽잖아
너 지금 살기도 버겁잖아

근데 왜,
근데 왜 웃어?

힘들면 힘들다
괴로우면 괴롭다
짜증 나면 나 지금 짜증 난다
떳떳이 말하라고

왜 항상 억지로 웃어
그거 힘들잖아
죽을 만큼 괴롭잖아

그거 하지 마

해주고 싶은 말

오늘 하루도 잘 버텼네

정말 고생 많았어.

하루하루 버티기 버거운데도 불구하고
잘 버티는 네가 참 멋있다고 생각해

늘 밝게 웃으며 사람들에게 웃음을 주는 네가 참 대견하다?

오늘 아무도 너에게 말해주지 않았다면
내가 해줄게
정말 사랑해

오늘의 너도 내일의 너도
모두 사랑해

넌 지금도 잘하고 있으니깐
너무 걱정하지 마

그동안 고생 많았다

하루만 더

이런 말 하기 정말 염치없는 거 아는데
우리 하루만
딱 하루만 더 살아보자

더 이상 낼 힘도 없다는 거 잘 알아
근데 우리 오늘도 잘 버텼으니깐
하루만 더 버텨보자

솔직히 울지 말라는 말보단
어린 애처럼 펑펑 울어도 된다는 얘길 해주고 싶어

많이 참았잖아
이제 그걸 좀 풀어보자

그니깐 우리 하루만 더 버텨보자
내일 다 풀지 못했다면 그 다음 날 마저 풀고 그 다음 날도 다 풀지 못했다면 그 다음 날 풀어도 돼

급할 필요 없으니깐 그렇게 하루하루 천천히 풀자

왜 이런데

내 인생은 왜 이래?

왜 이렇게 불행한 거야?

왜 또 내 탓 이래?

또 내가 잘못한 거야?

내 인생은 왜 이런데?

사후세계

만약 사후세계가 있다면 어떨지 상상해본 적이 있다.

솔직히 말하면 없었으면 한다.

지금도 많이 힘든데
지금도 많이 지쳤는데
사후세계까지 있으면 버거울 것 같다.

사후세계까진 없었으면 한다.
사후세계까진 필요 없다.

사후세계에서까지 살고 싶지 않다.
사후세계에서까지 버티고 싶지 않다.

그러게

그러게 나 왜 사냐

그러게 나 왜 우냐

그러게 나 왜 화내냐

그러게 나 왜 밥 먹고 있냐

그러게 나 힘든데 왜 웃고 있냐

그러게 나 왜 혼자냐

그러게 나 왜 못 뛰어내리고 있냐

그러게 나 왜 두렵냐.

그러게 나 왜 더 이상 살 이유가 없냐

그러게 나 왜 비참하냐

참 웃겨 진짜

한심해

진짜 우울해 죽겠는데 밥맛은 또 있어선
밥 먹는 내가 너무 한심해

여기까지 올라왔는데 떨어지는 건 또 무서워선
못 떨어지는 내가 너무 한심해

힘들어서 더 이상 낼 힘도 없는데 사람들 앞에만
서면 아무 일 없다는 듯 웃는 내가 너무 한심해

어젯밤 서러워서 그렇게 울곤 괜찮지도 않은데 괜
찮다며 웃는 내가 너무 한심해

그냥 내가 너무 한심해
너무너무 한심해선 미칠 것 같아

그리움만

그때 그 여름의 추억이 점점 짙어져
나를 옥죄어 올 때면

나의 눈물샘에선 언제부터인지 영문 모를 눈물들
이 쏟아져
오늘의 나를 더욱 아프게 만들었다.

그리곤 내가 눈물을 흘렸던 베개에는 눈물 자국이
생생히 묘사되어
하얀 베개에는 그때 그 여름의 그리움만이 남아

또, 다시 나의 촉촉한 눈물샘을 자극 시켰다.

2
Chapter
아픈 이별

망가지는 걸 알려준 넌

처음으로 나에게 망가지는 걸 알려준 넌
더 이상은 넘치지 못하는 바다였어

그래서 그랬던가.
자꾸만 나를 바다로 이끌었지

계속 사랑을 주며 나를 너의 바다로 입수를 시키는데

그때의 파향선과 바다 내음이 얼마나 뚜렷하던지
난 어리석게도 아직 그때를 잊지 못했어.

이것 봐
지금 내가 있는 곳도 바다잖아
네가 소싯적 나를 잠식 시켰던 파도가 생생한
바다

넌 예나 지금이나 아직 그 잔인한 놀이에서 벗어나지 못한 거야?

“ 참 잔인해 ”

내가 너를

영원 하자며,
행복만 하자며,
웃는 일만 만들어준다며

나 지금 울고 있잖아
내가 너를 이렇게까지 사랑하는데

어떻게 네가 나한테 그럴 수가 있어?

적어도
진짜 적어도 그 말만큼은 하지 말았어야지

네가 말한 아름다운 사랑이 이거니?
네가 말 한 그 젊고 푸르른 사랑이
이렇게나 잔인하고 비참한 뜻이니?

네가 평생을 날 버린 것에 대해
아파하고 절망하고 망각했으면 좋겠어.

어디 한번 평생을 지옥처럼 살아 봐

어차피 우리는 말이야

뭘 울고 그래?
너는 나한테 아픈 말 나쁜 말 다 하며 상처 줬으
면서

막상 헤어지자니 후회되나 봐
참 웃겨 지금 네 꼴이

어차피 우리는 말이야.
사랑 아니었으면 악연이었어

내가 늘 호구처럼 빌빌 대니
네가 뭐라도 된 줄 알았나 봐

사실은 아무것도 아닌데 말이야.

잠시 스쳐 지나간 사랑에

잠깐의 인연에
너무 많은 사랑을 주지 마세요

결국엔 그 사랑은 아픔이 되어 돌아올 거에요.

잠깐인 사람에게
자신을 잘라내면서까지 맞춰주지 마세요.

결국엔 그 사람은 당신이 전부가 아닙니다.

잠깐의 아픔에
너무 많은 눈물을 흘리지 마세요

결국엔 더 비참해질 겁니다.

잠시 스쳐 지나간 사랑에
너무 헌신적으로 굴지 마세요.

결국엔 나만 놓으면 끝나는 관계입니다.

그 사람을 많이 사랑했다는 것

많이 사랑했던 사람이
언제나 내 곁에 있어 줄 것 같던 사람이
나를 떠나가면 괜히 울컥합니다.

그럴 땐 울어도 됩니다.
그때 흘리는 눈물은 단지 비참해서 흘리는 눈물이
아닌,
그 사람을 많이 사랑했다는 증거입니다.

전혀 부끄러운 눈물이 아니에요.

차라리 그렇게 펑펑 울면서
그 사람을 눈물과 함께 흘려보내세요.

그리고 상쾌하게 밖을 나가면
또 다른 나와 잘 맞는 인연이 나타날 겁니다.

그 사람을 잊는데 조금 시간이 걸려도
괜찮습니다.

그 사람을 진심으로 사랑했다는 거니깐요.

마지막으로 해주고 싶은 말

나 없다고 너무 울지 말고

아프지 말고

밥 꼭 잘 챙겨 먹고

잠 잘 자고

열심히 살고

청소 게을리하지 말고

마지막으로

나보다 더 좋은 사람 만나고

둘이 잘 어울리더라

그래, 그냥 둘이 사귀어.

둘이 잘 어울리더라

나랑 있을 때보다 행복해 보여,

네가.

너 진짜로 사람

너 진짜로 사람 비참하게 만든다.

지금까지 힘들게 끌어모은 사랑이
이렇게 허무하게 끝날 줄 알았으면
이렇게 허무하게 죽어버릴 걸 알았으면
진심으로 안 키웠지.

왜 괜히 사람 가지고 점점 마음만 크게 만들고선
이렇게 비참하게 만들어

너 진짜 나쁜 놈이야 알아?

어떻게 사람을 이렇게나 매정하게 밟아.

정성 있게 키운 꽃을 한순간에 꺾어버리니
재밌디?

아니면 그냥 관심을 안 줘서 꽃이 자기 혼자 말라
비틀어 죽어버린 건가.

우리가 뭐 얼마나

우리가 뭐 얼마나 대단한 사랑을 했겠니.

그냥 다른 사람들처럼 아프고

서로 미워하고

적당히 사랑한 게 다지

안 그래?

남들과 뭐가 다르겠어.

뭐 내가 붙잡아 주길

나한테 뭘 바란 거니?

뭐 내가 붙잡아 주길 바란 거야?
아니면
네가 바라는 대로 말을 잘 듣길 원했니?

지랄 마

네가 다른 년이랑 예쁜 짓 하는 걸 보고 배
아파하는 거?

난 죽어도 안 해

오히려 역겨워할 거야
널 원망하면서.

성공이네 축하해

네가 헤어질 때
날 잊지 말아 달라고 했잖아

솔직히 그땐 무슨 소리지 하면서
잊으려고 했거든?

근데 계속 네가 생각나.

네가 바란 게 이거였니?

그런 거였다면 성공이네
축하해

지금도 네 생각이 나서
울고 있거든.

황혼

무더운 한여름에
네가 갑자기 내 머릿속으로 들어와
나의 속을 간지럽혀.

아직도 널 못 잊었다는 생각에
괜히 짜증만 나선
창밖을 봤는데

하늘은 쓸데없이 왜 이리 예쁜 건지
황혼에 젖어가는 하늘을 보며
네 생각은 더욱 짙어져만 갔어.

너는 내 생각 한번 하지 않을 텐데
나만 제자리에 머물러선 널 그리고 있는 게
너무 짜증만 나.

아니, 그냥 이런 내가 너무 역겨워

넌 그냥

진짜 날 사랑한 적도 없잖아

늘 가짜였으면서 진심이었다고
애써 거짓말하지 마.

넌 항상 그런 식이야.
다 아는데도 참아주면서

" 난 괜찮다. "
" 괜찮아 "
" 그럴 수 있지 "
라며 넘어 가주니
내가 진짜로 괜찮은 줄 알았나 봐.

넌 그냥 외로웠던 거잖아
날 사랑했던 게 아니라

이별 뒤 후폭풍

”무기력해,“

”역겨워.“

”허전해.“

”외로워“

”보고 싶다“

”그리워.“

”눈물만 나와“

”밥맛도 없다“

”나 왜 살지“

나 너 잊고 잘 살아

나 너 잊고 잘 살아

새로운 남자친구도 사귀었고,
시험에도 합격했고,
밥도 잘 먹고 다녀

나 네가 상처 준 만큼 잘 먹고, 잘 살아.
네가 아프게 한 만큼 돈도 잘 벌고 있어.

네가 잘 살 땐 내가 아팠으니깐
내가 잘 살 땐 네가 아파해

꼭 내가 번 만큼 아파하고
꼭 네가 상처 준 만큼 피폐하게 살아.

차라리 그때 널

가끔은 생각해

차라리 그때 널 무시하고
지나갔으면
내가 이렇게까지 망가지진 않았을 거라고
지금의 내가 이렇게까지 울고 있진 않았을 거라고

차라리 그때 너에게 많은 사랑과 정을 주지
않았다면
내가 이렇게까지 피폐해져 있진 않을 거라고
지금의 내가 이렇게까지 사람을 못 믿고 있진
않았을 거라고

차라리 그때 널 붙잡지 않았더라면
내가 이렇게까지 자괴감에 빠져있진 않을 거라고
지금의 내가 이렇게까지 자존감이 깎여있진 않을
거라고 말이야.

파도

가끔은 밀려오는 파도를 보며 너도 이렇게 다시
나에게 밀려왔으면 좋겠다고 생각해

내 탓

뭐가 또 내 탓이래
넌 항상 나랑 싸울 때마다 내 탓이더라?

내가 뭘 그렇게 잘못했냐.
내가 너한테 뭘 그렇게 못했는데?

그래 내가 다 잘못했다.
오늘도 내 탓이고
내일도 내 탓이고
그 다음 날도
그 다음 날도 내 탓이다
됐니?

네가 정작 원하게 이거였니?
내가 내 잘못이라고 빌어야만 다시 돌아올래?

응?

내가 어떻게 어떤 식으로

잘 봐
네가 망친 내 모습을.

앞으로도 더 망가질 거야

어디 한번 두 눈 뜨고 똑바로 봐 봐
내가 어떻게 어떤 식으로 망가지는지

네 앞에서 생생하게 망가지고
피폐해져 줄게

너무 괴로워서
자괴감에 찌들 때까지

더욱 망가지고
더욱 짓밟힐 거야

내가 원래 이렇게

다 잊었다고 생각했는데
네 생각이 나는 걸 보니깐
그게 아니었나 봐.

네가 보고 싶어졌어.

나 진짜 답답하지
나도 내가 답답하다.

아직도 너를 못 잊은 내가 너무 미워

내가 원래 이렇게 미련이 많은 사람이었나

눈물이 나서 미치겠는데

나 지금 옥상이다?
머리가 아프고 열도 나고 눈물도 나

막 눈물이 나서 미치겠는데
네가 생각나.
네가 보고 싶어서 돌아 버리겠어.

처음부터 나만

뭘 모르는 척이야.
역겹게

왜 그래?
그냥 평소처럼 해
어차피 진심도 아니었잖아.

그러면서 갑자기 잘해주면
내가 얼씨구나 좋다 이럴 줄 알았니?
더 더러워 보여

진심 아니잖아
거짓이잖아
그러면서 뭘 또 사랑한대
짜증 나게.

우린 딱 그런 사이야.
나만 놓으면 다 끝나버리는 관계
처음부터 나만 좋아했던 관계

3
Chapter
가끔은 짝사랑이 버거워

이렇게나 내가 널

왜 항상 걔야?
나도 좀 바라봐 주면 안 돼?

맨날 걔 얘기하잖아, 너
지겨워.

이젠 나도 봐줄 때도 됐잖아

진짜 걔 얘기할 때마다
질투가 나서 미치겠다고

이것 좀 봐
이렇게나 내가 널 바라잖아

나도 힘들다고
외롭다고

아무렇지 않은 척

나 너 진짜 많이 좋아하는데
넌 항상 걔만 보잖아

내가 뭘 해도 항상 너의 눈길 끝을 보면
걔였어.

너랑 대화하면 진짜 설레고 좋은데
가끔 네가 걔 언급을 하면서
칭찬할 때면,
애써 괜찮은 척 웃어서 넘겼지만

나 사실 혼자 많이 울었어.

사실 지금까지 너 때문에 엄청 많이 울었다?

근데도 널 포기 못 하는 내가
점점 싫어져

너 진짜로

너 진짜로 무자비하고 잔인한 거 알아?

사람 마음 다 흔들고선
고백하니깐 냅다 등 돌리는 거
그게 얼마나 아픈지
알아?

점점 멀어지는 너의 발걸음이
너무 멀어져 버린 우리 사이가
내겐 얼마나 끔찍한진 알아?

내가 아직도 너 많이 좋아하는 건 알고?
내가 왜 맨날 우는진 알고?

아, 넌 모르겠네.
처음부터 날 가지고 노는 게 목적이었으니까

도대체 난 너에게

처음엔 세상 친절하고 설레게 했으면서
여자친구 생기니깐 바로 버리냐

나 너 진짜 많이 좋아했는데.

차라리 처음부터 잘 해주지 말지.

도대체 난 너에게 어떤 존재였니?

이제 알아줄 때도

내가 그렇게나 많이 표현했는데도
아직도 모르는 네가
가끔은 참 어리석고 미워

가끔은
내가 이렇게 잘해주는 게
넌 당연하다고 생각해서
몰라보는 게 아닐까?
라는 생각도 들곤 해

솔직히 이제 알아줄 때도 되지 않았냐
나도 이제 점점 지쳐가는데

마지막 문장

처음 널 딱 봤을 땐
난 우리가 정말 잘 맞는다고 생각했었거든?

근데 넌 그게 아니었나 봐
나만 그렇게 느낀 거였어.

솔직히 처음 알았을 땐
많이, 슬프고 그저 밉기만 했었는데
이젠 그냥 힘들어

그래도 나 아직 너 많이 좋아해
많이, 밉고 화도 나는데
사람 마음이란 게 조절이 안 되더라

그래서 나는 늘 내 인생의 마지막 문장은
너로 끝났으면 좋겠다고 생각했어.

진짜 한 번만

한 번의 설렘이
이렇게 부풀어 커질 줄 누가 알았겠어

그 잠깐의 호감이
다시 고통이 되어 돌아온다는 걸 알면서도
바보같이 좋아해 버렸어.

그래서 나 지금 울고 있잖아
나 지금 너무 힘들어
너무 힘들어서 미치겠어.

많은 거 바라지 않을 게

진짜,
진짜 딱 한 번만
진짜로 딱 한 번이라도
나 좀 좋아 해주면 안 돼?
나 한 번 만 좀 봐줘라.

솔직히 나 너무

이제 진짜 포기해야지
하다가도

걔가 설레는 행동 하나만 하면
바로 무너져버리는 나인데
어떻게 너를 포기하겠어.

사실 너 좋아하면서
혼자 정말 많이 울었어.

솔직히 너 좋아하는 거
많이 힘들어
많이 지쳐

그런데도 날 봐
지치는데도 포기 안 하고
울고 있잖아

보고 싶어 해서

넌 나 되게 귀찮지?
지겨워서 그만해줬으면 좋겠지?
나도 그러고 싶은데
잘 안 되네
보고 싶어 해서 미안해

눈치 없는 척

내가 이렇게나 표현을 했는데
몰라주는 네가 너무 미워

내가 이렇게 널 사랑하겠다는데
내가 이렇게 노력을 하는데
내가 이렇게 아파하는데

왜 모르는 거야?

솔직히 말하면
처음엔 눈치가 없나 보다 하고 넘어갔는데
이젠 그냥 눈치가 없는 게 아니라
눈치가 없는 척을 하는 거 같아

차라리 싫다고 해
괜히 사람 마음 들었다 놨다 하지 말고

나도 이제 힘들다고

그 정도도

사랑하는 거까진 아니어도
좋아 라도 해줬으면 좋겠다

봐주는 거까진 아니어도
그냥 옆에만이라도 있어 줬으면 좋겠다.

매일은 아니어도
가끔은 내 생각을 해줬으면 좋겠다

그 정돈 해줄 수 있지 않나.

아니면,

그 정도도 안 되려나

그러면 좀 많이 슬플 것 같은데

기다림

언제 나 좋아해?

기다리고 있을게

그러니깐
언제라도 날 찾아줬으면 좋겠다

기다리고 있을게
언제든지 너만을 위해 기다리고 있을게

그냥 기다리고 있을 테니까
꼭 나 찾아줘야 한다

알았지?

믿고 있을게

사랑해

그동안

솔직히 말하자면
네 마음을 잘 모르겠어.

네가 날 좋아하는 거 같으면서도
아닌 것 같고

그게 반복이 되니깐
공부는 통 머리에 안 들어오고
잠도 안 오고
하루 종일 네 생각만 하니깐

점점 멍청해지고
몸은 점점 망가지고
피로는 점점 쌓여만 가

그래서 생각한 건
널 포기하려고

그동안 많이 서운했고
그동안 많이 미워했고
그동안 많이 사랑했어.

제발 좀 부탁할게

너 진짜로 사람이 왜 그리 잔인해?
일부로 그러는 거야?

진짜 제발 좀 질투 나게 하지 말고
사람 헷갈리게도 하지 말고
은근히 애정 표현도 하지 마

왜 자꾸 사람을 비참하게 만들어

싫으면 싫다고 하던가.
좋으면 좋다고 말을 하던가.

제발 좀 부탁할게
나 좀 그냥 마음 편히 만들어줘

널 사랑하고

아니 사랑하는 게 이렇게 아플 줄은 몰랐지.

그냥 짝사랑하는 애들 보면 한심하다고 만 생각했는데

이제 그 한심한 사람이 내가 됐네

널 사랑하고 나서 정말 많이 울었고
널 사랑하고 나서 정말 많이 웃었어.

그리고
널 사랑하고 나니깐
짝사랑이 왜 그리 아픈지 알 것 같더라

넌 잘 모르겠지만
진짜 많이 아파
정말 가슴이 찢어지듯이 아파

아무튼, 사랑해

짝사랑 잊는 법

첫 번째, 너무 많이 보지 말 것

두 번째, 너무 많이 생각하지 말 것

세 번째. 그 사람이 전부라고 생각하지 말 것

네 번째, 피해 다닐 것

다섯 번째, 말 걸지 말 것

여섯 번째, 희망 갖지 말 것

일곱 번째, 다른 사람을 만날 것

여덟 번째, 취미 생활을 만들 것

아홉 번째, 날 더 사랑할 것

마지막으로

너무 많이 사랑하지 말 것.

잡힌 적도 없던 너를

널 사랑하기엔 너무나도 벅차서
널 좋아하는 내가 너무 초라해서
너 때문에 우는 내가 너무 비참해서
너에게 난 너무 부족해서

결국엔 나는
잡힌 적도 없던 너를
놓아주기로 했다.

외사랑

행복했던 연애에서

쓸쓸한 외사랑으로 변했다.

그 사람을 사랑하면서

그 사람을 사랑하면서 분노를 느끼신 것은
그 사람을 많이 순애했다는 것이고

그 사람을 사랑하면서 울었다는 것은
그 사람을 많이 미워했다는 것이고

그 사람을 사랑하면서 웃었다는 것은
그 사람이 많이 고마운 것이고

그 사람을 사랑하면서 질투했다는 것은
그 사람을 많이 애정했다는 것이고

그 사람이 그리우면
그 사람을 많이 사랑하는 것입니다.

안 좋아할 수가

창가에 앉아서 창문 사이로 들어오는 바람에
살랑살랑 춤을 추는 너의 머리카락과

복도에서 마주치면
언제나 해맑게 인사해주는 너의 미소가

순간 너무 아름다워 보였어.

언제나 올라가 있는 너의 입꼬리와 너의 꾀꼬리
같은 목소리마저 사랑스러워서

나는 너를 좋아한다

뭐 근데 사실 좋아한다는데 딱히 이유가 있겠나.

그 사람이 하면 뭐든지 사랑스러워 보이는 게
사랑하는 거지

그래서 나는 오늘도 해바라기 같은 너를
사랑한다.

친구로도

사랑하는 사람이 있는데
고백을 못 하는 이유는 늘 같습니다.

괜히 고백했다가 차이면 어색해질까 봐
괜히 고백했다가 친구로도 못 남을 것 같아서

저는 그냥 지금 이런 사이를 유지할 수밖에
없습니다.

친구 아닌, 친구 같은 사이

사랑 없이 사는 게

나 원래 이렇게 눈물 많은 사람 아닌데

짝사랑을 시작하고부터
나는 미친 듯이 울었다.

그냥 눈물이 났다.

그래서 잊으려고도 해봤는데
그게 잘 안 된다?

너만 보면 심장이 먹먹해져

원래 사랑 없이 사는 게
이렇게나 힘든 거였나

매일 네 이름을 쓰고 지우고를 반복해도
늘 제자리네

참 쓸쓸하다.

4
Chapter
생각이 많아지는 밤

위로를 받을수록

어째서 위로를 받는데
왜 눈물이 안 날까.

어째서 위로를 받으면 받을수록
점점 더 비참해질까.

좋았었지

자동차 밖에 창문에서 흘러내리는 비가
마치 점점 흐려져 가는 너를 짙게 만들었어.

한낮 나의 청춘을 다 바친 너였는데
이렇게 허무하게 흘러내려 떨어질지 누가
알았겠어

그때 우리 정말 예뻤는데 말이야.
정말 아직도 못 잊은 게 참 신기해

그땐 정말 좋았지
그때는 정말 좋기만 했었지.

그동안에

그동안에 억지로 버티느라
얼마나 힘들었을까,

그동안에 서운한데 애써 삼키느라
얼마나 애썼을까,

그동안에 안 괜찮은데 괜찮은 척하느라
얼마나 버거웠을까.

나는 그 누구보다도 지금 네가 제일 걱정이 돼

많이 힘들었잖아, 너

정말 많이 애썼다.
이젠 조금 쉬어도 되지 않을까?

넌 이미 너무 잘하고 있어.
그니깐 남들보다 부족하다고 생각하지 마

넌 그냥 너대로 살아가면 돼
네 인생은 네 거잖아?

백일몽

너는 내가 다시는 꾸지 못할
백일몽이었다.

생각이 많아지는 밤

생각이 많아지는 밤에
나 홀로 침대 위에 전기장판을 켜
핸드폰의 까만 색 화면만 띄어 놓은 채
가만히 멍하게 보고만 있었다

그러더니 문득 내 모습이 너무나도 한심해
보였다.

그래서 겨우 이불을 떨쳐내곤
의자에 앉아 가만히 글만을 끄적였다.

계속 글을 쓰다 보니
어느 순간부터 네가 내 글에 있었다.

나는 그냥 뭘 하든 한심해 보여서
무기력해진 채 나는 다시 침대에 몸을 던졌다.

그렇게 나는 오늘 밤도 내일 밤도
생각이 많아진 채
잠이 들었다.

우린 여름이었다

나는 여름이란 단어를 정말 좋아한다.
그냥 괜히 그날의 우리가 떠오르는 기분이라
여름이라는 보거나 들으면
괜히 생각이 많아진다.

그냥 그때의 우리가 너무 좋았던 거일 뿐
악감정이라곤 딱히 없다.

그냥 공허하다.
그냥 괜히 눈물이 난다

여름의 밝은 햇살이 마치 예전에 너의 밝은
미소를 형용을 시켜 아직도 생생하다.

그래서 나는 여름 같은 너를 좋아해서
나는 여름을 좋아한다
그리고 가끔은 미워도 한다.

나는 때론 옛날의 우리가 여름이라고 생각한다
맞다.
우린 여름이었다

괜찮다는 네 눈이

요즘 괜찮아?

아니,
너는 괜찮다고는 하는데
뭔가 그 말을 할 때의 네 눈이 이상했어.

근데,
근데, 말이야
그거 알아?

사람은 눈으로 다 보인데

뭐 그냥 내가 말하고 싶었던 건
괜찮다고 말하는 네 눈이 너무 슬퍼 보였어.

괜찮지 않으면 가끔은 솔직히 말해도 괜찮아

왜 네 편이 없다고 생각해?

없어도 내가 해줄게
네 편.

피폐한 삶

피폐한 삶이 어떻냐고요?

....

지겨워요.

세상은

세상은 너무 소란스러워
별거 아닌 거 가지고 계속 발목을 잡으니
안 지치겠냐고

세상은 왜 이리 또 야단법석인지

시끄럽고 정신 사나워서
그만하려고 옥상에 발을 올리면
세상은 왜 이리 쓸데없이 예뻐 보이는 건지
참, 기가 막혀서

세상은 왜 이리 하나만 하질 못하는 걸까.

정신 사나운데
왜 그리 예뻐선 나를 미치게 하냐고

그냥 어떻게 해야 할지를 모르겠어.

그냥 도망치고 싶어

잘 사는 법

1. 남의 말의 너무 신경 쓰지 않는다.
2. 교양있게 행동한다
3. 남의 험담을 하지 않는다
4. 너무 많은 사랑을 베풀지 않는다
5. 너무 많은 정을 주지 않는다
6. 후회할 짓을 줄인다
7. 추억을 많이 쌓는다
8. 공부에만 집중하지 않는다.
9. 친한 친구를 많이 만들지 말아라
10. 내 비밀은 아무에게도 말하지 않는다
11. 남의 비밀을 퍼트리지 않는다.
12. 잠을 많이 자라
13. 울고 싶을 땐 그냥 운다
14. 이별을 경험해도 그냥 넘긴다
15. 지나간 일을 잡지 말아라
16. 밥 꼭꼭 챙겨 먹는다.
17. 취미를 만든다
18. 많이 웃는다
19. 사랑받으려고 애쓰지 마라
20. 쉽게 포기하지 말아라
21. 일단 도전을 해본다

죽어가는 느낌

하루하루 살아가는 게 아니라

죽어가는 것 같아.

숨 막혀

힘들어

지쳐

이번 생은

마음은 죽어가고
정신 상태마저 미쳐간다.

그럴 때일수록 내 주변에 있는 사람들은 멀어져만 갔고
나는 한, 두 명씩 사라져갈수록
우울이 내 감정을 지배해가고 있었고

어느 순간부터는 팔목에 줄을 긋는 게
일상이 되어버렸다.

내 편이란 가족마저 정신병자라며 날 떠나가고
나는 외로운 방안에 혼자 남겨진 채
날마다 피폐한 삶을 살게 되었다.

저는 이제 어떡하면 좋을까요
아무래도 이번 생은 망했나 봅니다.

보고 싶다

내가 이렇게 망가진 건 분명히 너 때문인데

왜 또 네가 생각나는 건지

…

그냥
보고 싶다
근데 이제 널 볼 이유가 없네

추락

그때 너와 함께 했던 청춘의 추락은 너무나도
화려하고 고왔었다.

나는 아직도 그때 그 청춘의 어린 시절 우리가
눈에서 아른거리기만 한다.

그때 어린 시절의 우리
참, 철도 없고 말도 안 들었었는데
언제 이렇게 커선 일찍 청춘을 보냈던 건지

지금 생각하면 그때 뭐가 그리도 급했던 건지
모르겠다.

이렇게 클 줄 알았더라면
조금이라도 더 일찍 알았더라면
내가 지금 이렇게 우울증에 걸리진 않았을 텐데

나는 아직도 문뜩 찾아오는 밤이면
그때 아름답던 청춘이 떠올라
밤마다 눈물로 지새운다.

네가 꼭 알아야 할 것

가끔가다 버티기도 버거운 만큼 힘든 날이 올 때가 있다.

그때 네가 꼭 알아줬으면 하는 것은

네가 힘든 걸 표현해도
언제나 네 옆엔 위로해줄 수 있는 사람들이
있다는 것을

네가 울면서 화내도
아무 조건 없이 계속 사랑해줄 사람이 있다는
것을

지금 이렇게 힘들고 아파도
언젠가는 꼭 너에게도 눈이 부실만큼 아름다운
날이 올 거란 것을

망가지는 기분

망가지는 기분이 어떻긴 뭐가 어때요

죽고 싶지.

짝사랑

원래 이렇게 짝사랑이 아픈 건가요

정말 눈물밖에 안 난다
걘 나를 안 좋아하는데
나 혼자 포기 못 하고 아등바등
버티는 게 너무나도 슬프다.

너만 보면 심장이 먹먹한데
난 이제 어떡하면 좋을까.

솔직히 네가 좋아하는 여자애가 나였으면 좋겠어.
근데 너는 다른 사람을 바라보고 있더라

미안해 이런 나라서
미안해
아직도 너를 잊지 못하는 나라서

그리고 또 미안해
좋아해서

너 없는 시간 속

나는 이제 네가 없으면 괜히 눈물이 난다
나는 이제 네가 없는 시간 속에서 버텨야만 한다

나 혼자

지친다
힘들어

다 포기하고 싶고
방에서 혼자 울고만 싶어

다들 이런 건가.

아니면,

괜히 나 혼자만 오바 떨고 있는 건가.

살려줘

더는 이렇게 살아가기 싫어.

꼭 나 보다

나 지금 이렇게 행복해
너는 어때?

요즘 비가 참 많이 오지?
창밖에 힘 없이 떨어지는 빗물을 보면
가끔 네가 생각이 나

행복해도 네가 보고 싶더라고

그냥 보고 싶다고 말해주고 싶었어.

그때 그렇게 나한테 모진 말을 했는데도
네가 밉지가 않더라

요즘 날씨가 많이, 추워
그니깐 꼭 따뜻하게 입어

그리고 꼭 나보다 불행 해줘

주저앉아

나 아직 여기 있다?

우리가 처음 만난 그 자리
난 아직도 이 자리가 너무 그리워

맨날 일하고 오면 제일 먼저 오는 곳이 여긴데

어째 너는 그렇게도 매정하게 한번을 안 오냐

눈이 오든 비가 오든 바람이 불든 나 항상 여기
있었는데

아직도 네가 많이 보고 싶어
근데 이젠 점점 힘들다.

이러다 지쳐서 주저앉아버리는 건 아닌지
참..

아무튼, 보고 싶다.
이거 보면 꼭 그 자리에 다시 와줘
기다리고 있을게

5
Chapter
청춘 익사

우리들의 청춘은

함께 웃다가 함께 울고
함께 놀다가 함께 지치고
함께 슬퍼하다가 함께 즐거워하고
함께 어색하다가 함께 친해지는

우리들의 찬란한 기억 중 하나의 일부분이
이젠 추억이란 자리에 머문다.

때론 지치고 때론 아팠지만
그래도 즐거운 기억이었어

이젠 다신 못 본다 해도 그리워하진 않을 거야.
그러고 싶어.

우리들의 청춘은 한낮 따뜻하고 벚꽃잎이
우수하게 떨어지던 봄이었지만,

우리들의 마지막은 춥고 눈이 내리는
한겨울이었다.

우리들의 청춘은 그렇게 막을 내렸다

시간

그때 그 여름의 해가 얼마나 밝았더라
그때 그 바다의 파향과 소음은 아직도 여린데

점점 나도 늙어가나 보다

손과 얼굴엔 이미 주름이 새겨져 있었고
소중한 기억들도 점점 사라져만 간다.

내가 언제 기뻤고 언제 슬펐는지
이젠 상상도 안 간다.

시간이란 건 참 무서운 것 같다.

사람은 언젠간 허무하게 죽어버린다는 게
참 웃기지 않나.

나도 이젠 알 건 다 아는 나이라 점점 애처럼
변하고 조금만 서운해도 펑펑 울고 싶은 나이다.

늙어서 가끔은 젊고 팔팔했던 그때가 그리워
나는 또 아이처럼 울어버렸다.

우린 처음부터

우리가 인연이 아니라 우연이라는 사실을 한 땐
믿지 않았었어.

근데 우리가 헤어지고 난 다음 알겠더라

난 이렇게 불행한데 어째 너는 더 행복해
보이더라.

솔직히 네가 날 정말 좋아한 건 맞는지
의심스러워

그래 다 필요 없고
그냥 우린,
처음부터 아니었던 거야

짝사랑과 외사랑

짝사랑과 외사랑 둘 중 뭐가 더 아플까, 라고
묻는다면 나는 늘 둘 다 많이 아프다곤 말을
한다.

당연히 사람마다 다르지만
나는 외사랑이 얼마나 아픈 것인지 잘 알기에
짝사랑이 얼마나 고통스러운지 알기에

나는 감히 함부로 뭐가 더 아프다고 말을 하지
않는다.

결국, 두 개 모두 상처와 답답함을 지니고 사니깐
말이다.

가끔은 고민을 해본다.
내가 과연 이 두 고통을 함부로 심판 할 권리가
있는가,

근데 어느 날 나는 가장 고통스러운 걸 찾았다.

짝사랑에서 외사랑이 될 때.

청춘 추락사

보기만 해도 마음이 따듯해지던 우리들의 맑은
청춘이
언제부터인지 쉴새 없이 추락하기 시작했다.

도대체 어디서부터가 문제였을까
내가 뭘 잘못했을까.

분명 날이 어두워도 한 줄기의 빛처럼 빛나던
우린데
언제부턴가 어둠에게 잠식이 되어
작은 불빛 하나 비추지 못했다.

다시 돌아가고 싶다.

따듯했던 나의 청춘.

힘들다

나는 어렸을 때
크면,
그 누구보다 멋지고 남 부럽지 않게 살 줄로만
알았다.
.
.
.
힘들다

그때 기대했던 너무나도 순수한 나에게
머리 숙여 사과한다.

정말 미안해
그 누구보다 잘 살지 못해서
남 부럽게 살지 못해서
미안해

어린 시절 나에게

한풀이

언제부터였지
분명 괜찮았는데 왜 이렇게 됐지.

아니 분명 괜찮았는데
뭐 하나 소홀했던 게 없었는데

다시 되돌려놨으면 좋겠다.

나의 청춘을

나의 청춘을 너에게 다 바칠게

한때 너는 나에게 세계를 주었으니까

근데 한 가지만 알아줬으면 좋겠다.
나는 늘 언제나 너에게 진심이었고,
내 전부였고,
내 사랑이었어

그때 너에게 소홀했던 어린 시절에 내가
참 우습기만 하네

그때로 돌아간다 했으면 나는 널 만나지 않았을
거야

너에게 나는 너무나도 한없이 작고 부족했던
그런 사람이었으니까.

사랑해

그때도, 지금도 많이

어둠아, 덤벼라

어둠아, 덤벼라
한낮 밝던 우리가 너의 우울과 침울을 치료해줄
테니

울지 말고 덤벼라
실컷 싸우고 잔디밭에 누워 같이 웃자

그럼 너의 어둠이 곧 밝게 빛날 테니

겁먹지 말고 덤벼라
한없이 져주어 너에게 승리를 안겨주어 너를
환하게 만들어줄 테니

그리고 나도 너였던 적이 있으니

좌절 말고 이리와 안겨라

한없이 무너지기에

나는 네가 없으면 한없이 무너지기에
너는 나에게 세상이자 전부이기에

너에게 나를 부탁하고 싶었다.

항상 웃던 아이

항상 웃던 그 아이는
항상 울었고,

항상 기뻤던 아이는
항상 슬펐고,

항상 행복했던 아이는
항상 외로웠고

항상 괜찮기만 했던 아이는
항상 괜찮지 않았다.

혹시 그 아이가 당신 이야기일 수도 있습니다.
이젠 괜찮을 거예요.

제가 당신을 안아드릴게요.

오늘 밤은 편히 잠드시길 바랍니다.

열심히 살다 지쳤다

언제부턴가 열심히 살던 나날들이
점점 버거워지기 시작했다.

그러면서 눈물도 나고,
자꾸만 지쳐가고

이제 남은 쓰레기라곤 나밖에 남질 않았다.

아파야 청춘이다

아파야 청춘이다.
아파서 행복하다.

아파서 사랑이다.
아파서 더욱 사랑한다.

뭐든 아파서 기쁘다.

오늘만큼은

오늘만큼은 아프지 마시고 행복하셨으면 좋겠습니다.
오늘 밤만큼은 실컷 울으셨으면 좋겠습니다.

늘 남 눈치만 보느라 수고 많으셨습니다.

오늘도 많이 치이고 참으셔서 많이 힘드셨죠

이젠 제가 안 아프게 해드릴게요.

이젠 제가 당신의 슬픔을 달래드리겠습니다.

버텨주셔서 고맙습니다.
이제 푹 잠드시길 바랍니다.

살고 싶은 꽃 위에 죽음이란 화관을

발 행 | 2024년 06월 21일
저 자 | 강다나
펴낸이 | 한건희
펴낸곳 | 주식회사 부크크
출판사등록 | 2014.07.15.(제2014-16호)
주 소 | 서울특별시 금천구 가산디지털1로 119 SK트윈타워 A동 305호
전 화 | 1670-8316
이메일 | info@bookk.co.kr

ISBN | 979-11-410-9087-6

www.bookk.co.kr